D0900904

Bruna Battistella

Gloire à Toi, Seigneur

Première approche
de la Genèse et des Psaumes

Médiaspaul

L'original de ce livret a paru aux **Edizioni Paoline** de Rome sous le titre **Canto la tua gloria, Signore !**

Adaptation de l'italien par **Marie-Lou Morizur** et **Véronique Gariel**.

Illustrations de **Cornelia** et **Romana Rota**.

Les passages bibliques sont tirés ou adaptés de **Votre Bible** (éditions Médiaspaul).

© **Médiaspaul** pour la langue française

Médiaspaul, 8 rue Madame, 75006 PARIS
ISBN 2-7122-0213-9
ISSN 0751-4123

POUR LE CANADA :

Editions Paulines, 3965 boulevard Henri-Bourassa, MONTREAL, P. Qué. H1H 1L1
ISBN 2-89039-316-X

Bibliothèque nationale du Québec
Bibliothèque nationale du Canada
Dépôt légal 3e trimestre 1984

J452861

A L'ADRESSE DES PARENTS
ET DES EDUCATEURS

Gloire à Toi, Seigneur! *a été écrit pour l'enfant qui s'éveille à la foi et pose sur son entourage un regard chargé de questions. Ses découvertes, ses étonnements, ses premiers sentiments d'admiration constituent autant de jalons de son approche de Dieu. La proximité du Seigneur se révèle à son intuition plus qu'à son raisonnement.*

Gloire à Toi, Seigneur! *pourra l'ouvrir à cette Présence mystérieuse et s'offrir à lui comme prière de louange si ses parents, ses éducateurs l'orientent et le mettent en piste.*

*Qu'ils se fassent tout proches de lui et, avec lui, contemplent les beautés de l'univers présentées ici en images et par des phrases tirées du premier chapitre de la **Genèse.***

Ils savent bien que l'auteur sacré a composé le poème de la création pour transmettre un message fondamental: le cosmos est l'œuvre de Dieu, une œuvre d'amour.

Ils se feront ensuite la voix de tout le créé pour louer le Seigneur Dieu à l'aide d'expressions tirées des **Psaumes** *et adaptées aux plus petits. Ces chants poétiques, que l'Eglise de Jésus-Christ a reçus du peuple d'Israël, célèbrent la bonté du Créateur et ses interventions libératrices.*

Les parents et éducateurs évoqueront l'action créatrice du Seigneur non seulement pour parler de Dieu à l'enfant, mais encore pour l'initier à la louange, au remerciement, à la joie de vivre, tous sentiments qui émergent spontanément dans la vie quotidienne des plus petits.

QU'IL EST BEAU, LE MONDE DU SEIGNEUR!

Tout ce que tu vois,
en toi, autour de toi et au-dessus de toi,
c'est le Seigneur qui l'a fait.
Quand tu te mets à contempler
le soleil, les fleurs, les montagnes,
pense que c'est le Seigneur qui les a faits.
Il est grand et fort,
il est bon!
Aussi as-tu envie de lui dire
que tu es très content
pour tout ce qu'il t'a donné:
tes yeux, ta bouche, ton cœur,
ton intelligence, le soleil, les étoiles,
les fleurs et les animaux,
et surtout parce qu'il t'a donné
papa et maman.

Dans ce petit livre
on va te raconter bien des choses
que le Seigneur Dieu a créées.
Tu trouveras les refrains
que David et Daniel,
deux grands amis du Seigneur,
lui chantaient pour le remercier
et le féliciter de toute chose.
Tu vas les lire,
et tu verras que ces mots-là,
toi aussi, tu veux les dire à ton ami :
le Seigneur Dieu.

Dieu dit à Moïse :
« Voici mon nom depuis toujours
et pour toujours :
le Seigneur Dieu.
C'est ainsi qu'on m'invoquera
toujours et à perpétuité. »

Exode 3, 15

O Seigneur, notre Dieu,
qu'il est grand,
ton nom,
par toute la terre !
Tu as voulu
que nos lèvres d'enfants
proclament à tout le monde
ta louange.
Gloire à toi !

Psaume 8, 2-3

Au commencement
le Seigneur Dieu
créa
le ciel et la terre.

Genèse 1, 1

Seigneur Dieu,
la terre est à toi.
Les hommes t'appartiennent
ainsi que toute chose.
Je te félicite,
roi de gloire!

Psaume 24, 1.10

Le Seigneur Dieu dit:
«Que la lumière soit!»
Et la lumière fut.
Et Dieu appela la lumière
jour.

Genèse 1, 3.5

12

O Seigneur,
le jour est à toi,
la nuit est à toi,
parce que c'est toi qui as créé
le soleil et la lune.
Toi seul es Dieu !

Psaume 74, 16

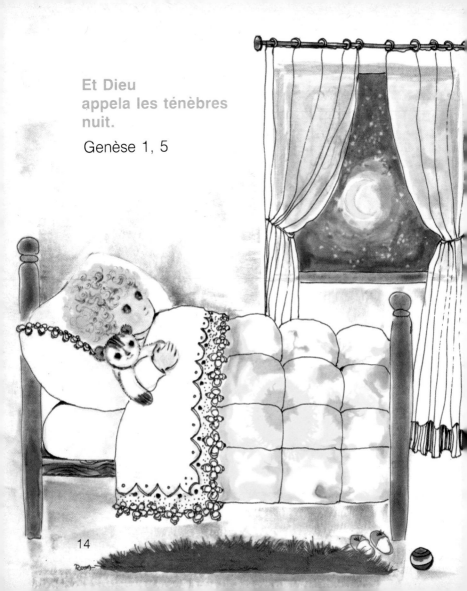

Et Dieu
appela les ténèbres
nuit.

Genèse 1, 5

14

Seigneur,
quand je suis réveillé
dans mon lit,
je n'ai pas peur.
Je pense à toi
avec beaucoup de joie,
parce que, de tout ton amour,
tu veilles sur moi.

Psaume 63, 7-8

15

Toutes les œuvres du Seigneur,
bénissez le Seigneur!
Anges du Seigneur,
bénissez le Seigneur!
Et vous, cieux, bénissez le Seigneur.

16

Lumière et ténèbres,
bénissez le Seigneur.
Eclairs et nuages,
bénissez le Seigneur.
Nuits et jours, bénissez le Seigneur.
Daniel 3

Le Seigneur Dieu dit:
«Qu'il y ait un firmament.»
Et il y eut un firmament.
Et il appela le firmament
ciel.

Genèse 1, 6-8

Mon Dieu,
tu déploies le ciel
comme une tente,
les nuages
te servent de carrosse,
et tu t'avances
sur les ailes
du vent.
Tu es merveilleux!
Et moi, de tout mon cœur,
ô Seigneur, je te félicite.

Psaume 104, 1-3

Dieu fit
le soleil
pour tracer la course
du jour.

Genèse 1, 16

20

Seigneur,
tu as mis le soleil
dans le ciel
comme dans une chambre
à coucher.
La matin, voilà qu'il se lève;
puis, comme un géant,
il parcourt les routes du ciel
en réchauffant toute chose.
Merci, Seigneur!

Psaume 19, 6-7

Et Dieu fit
la lune et les étoiles
pour tracer la course
de la nuit.

Genèse 1, 16

Seigneur, c'est si bien
de chanter pour toi!
Pour toi qui connais
le nombre des étoiles
et qui appelles chacune d'elles
par son nom.
Que tu es grand, Seigneur!

Psaume 147, 1.4-5

Le Seigneur Dieu dit:
«Que les astres
servent de signes
pour marquer
les saisons,
les jours
et les années.»

Genèse 2, 14

Je te remercie,
Seigneur, mon Dieu,
car tu pavoises l'été
des plus belles couleurs
et tu blanchis l'hiver
du manteau de la neige.

Psaume 74,17

Soleil et lune, bénissez le Seigneur,
Etoiles du ciel, bénissez le Seigneur,
Pluies et rosées, bénissez le Seigneur.

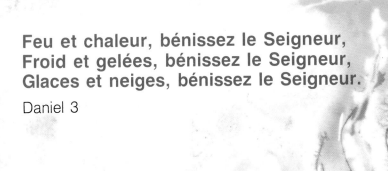

Feu et chaleur, bénissez le Seigneur,
Froid et gelées, bénissez le Seigneur,
Glaces et neiges, bénissez le Seigneur.

Daniel 3

Le Seigneur Dieu dit:
« Que l'élement solide apparaisse. »
Et il en fut ainsi.
Et Dieu appela l'élément solide
terre.

Genèse 1, 9-10

Terre entière,
lance vers Dieu
des cris de joie,
chante pour lui
des chants de gloire !
Oui, Seigneur,
que la terre t'adore
et te chante :
tu fais des merveilles !

Psaume 66, 1-4

Le Seigneur Dieu dit:
«Que toutes les eaux
qui sont sous le ciel
se réunissent.»
Et il les appela
mer.

Genèse 1, 9-10

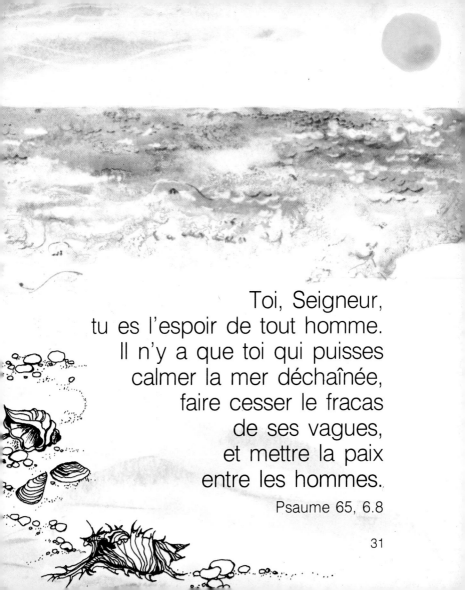

Toi, Seigneur,
tu es l'espoir de tout homme.
Il n'y a que toi qui puisses
calmer la mer déchaînée,
faire cesser le fracas
de ses vagues,
et mettre la paix
entre les hommes.

Psaume 65, 6.8

31

Le Seigneur dit:
«Que la terre se couvre de verdure.»
Et la terre produisit
des plantes à graines
et des arbres fruitiers.

Genèse 1, 11-12

O Seigneur Dieu,
tu viens visiter la terre
et tu la rends fertile.
Tu l'arroses avec la pluie
et tu bénis ses bourgeons
pour qu'ils donnent des fruits.
Merci, Seigneur !

Psaume 65, 10-11

Le Seigneur Dieu dit:
«Que les eaux fourmillent de poissons.»
Et Dieu créa
les êtres vivants
qui frétillent dans les eaux.

Genèse 1, 20-21

34

Seigneur mon Dieu,
que la mer et tous les poissons
petits et grands
qui se poursuivent
dans ses eaux
te disent leur merci!

Psaume 69, 35

Et Dieu dit:
«Que les oiseaux volent au-dessus de la terre
dans le firmament du ciel.»
Et Dieu créa
tous les oiseaux
selon leurs espèces.

Genèse 1, 20-21

Louez Dieu
en plein vol,
oiseaux multicolores,
chantez-le en plein ciel !

Psaume 148, 1.10

37

Le Seigneur Dieu dit:
« Que la terre produise
des êtres vivants:
bétail, reptiles
et animaux sauvages. »
Et il en fut ainsi.

Genèse 1, 24

Louez Dieu,
bêtes sauvages
et tout le bétail,
reptiles, oiseaux de tout plumage,
car sa gloire resplendit
au ciel et sur la terre.

Psaume 148, 7.10.13

39

Sources et cascades, bénissez le Seigneur.
Fleuves et mers, bénissez le Seigneur.
Baleines et poissons, bénissez le Seigneur.

**Oiseaux du ciel, bénissez le Seigneur.
Fauves des forêts,
troupeaux des prairies, bénissez le Seigneur.**

Daniel 3

41

Et Dieu dit:
«Faisons les humains
à notre image,
sur notre modèle.»
Genèse 1, 26

O Seigneur, notre Dieu,
qu'est-ce donc que l'être humain,
pour que tu t'occupes de lui?
Tu as fait de lui
presque l'égal des anges:
tu l'as doué
de noblesse et de générosité
et tu lui as confié
toutes tes autres créatures.
O Seigneur, notre Dieu,
que tu es grand!

Psaume 8, 5-7

Le Seigneur Dieu
modela l'homme de poussière prise du sol ;
il insuffla dans ses narines
un souffle de vie
et l'homme devint
un vivant.

Genèse 2, 7

44

Seigneur,
tu as formé
un à un
le cœur de chacun de nous.
Tu sais tout ce que nous faisons.
O Seigneur,
c'est une joie pour nous.

Psaume 33, 15.21

45

Dieu créa les humains homme et femme.
Il bénit Adam et Eve
et leur dit:
«Soyez féconds...»

Genèse 1, 27-28

Toi, Seigneur,
tu m'as donné forme
dans le sein de ma mère.
Je te remercie
parce que tu m'as fait
d'une manière merveilleuse.
Je le sais :
tes œuvres
sont toutes excellentes.

Psaume 139, 13-14

Et Dieu dit:
«Remplissez
la terre.»

Genèse 1, 28

O Seigneur Dieu,
des gens de toute race
battent des mains
pour te faire fête,
et ils te complimentent
par des chants de joie,
chacun dans sa langue.

Psaume 47, 2

Terre entière, bénis le Seigneur.
Enfants des hommes,
bénissez le Seigneur.
Toutes les familles,
bénissez le Seigneur.

**Remerciez le Seigneur
parce qu'il est toute bonté,
parce qu'il ne s'arrêtera jamais
de faire du bien.**

Daniel 3

Dieu dit à Adam et Eve:
«A vous d'exploiter la terre,
et les richesses des océans,
de tirer parti
des oiseaux du ciel
et de tous les animaux
des champs et des forêts.»

Genèse 1, 28

Mon Dieu,
je vais te chanter un chant
nouveau :
comme nous sommes contents
que tu mettes ces ressources
à notre disposition !
Nous sommes si heureux
que tu sois, ô Seigneur,
notre Dieu !

Psaume 144, 9.15

53

Le Seigneur Dieu dit à l'homme:
«Jc vous donne toutes les plantes
et tous les fruits des arbres:
vous en ferez
votre nourriture.»
Et il en fut ainsi.

Genèse 1, 29-30

Seigneur,
tu es mon berger !
Tu ne me laisseras manquer
ni de pain
ni d'eau.
Tes bienfaits
m'accompagneront partout.

Psaume 23, 1-2.6

**Le Seigneur Dieu
installa l'homme
dans le jardin d'Eden
pour qu'il le cultive
et l'entretienne avec soin.**

Genèse 2, 15

Seigneur notre Dieu,
fais-nous réussir notre travail,
l'ouvrage de nos petites mains!

Psaume 90, 17

Et le Seigneur Dieu passa en revue
tout ce qu'il avait créé:
enfin!
c'était vraiment très bien!

Genèse 1, 31

Seigneur,
tous les êtres que tu as créés
portent la marque de ton amour.
Tu les as faits,
dans ta sagesse insondable,
avec une immense bonté.

Psaume 104, 24

Le Seigneur Dieu
bénit le septième jour
et le réserva
pour lui.

Genèse 2, 3

Je te loue, Seigneur.
Je te remercie de ta bonté infinie.
Je te félicite
au son de la trompette,
Je te chante sur la harpe
et la cithare.
Je te complimente
à coups de cymbales,
je danse pour toi
sur des airs de flûte.
Tous les vivants te bénissent
avec moi,
Seigneur Dieu! ALLELUIA!

Psaume 150

TABLE DES MATIERES